For Colin Horsley

CONCERT STUDY in

for Piano

LENNOX BERKELEY

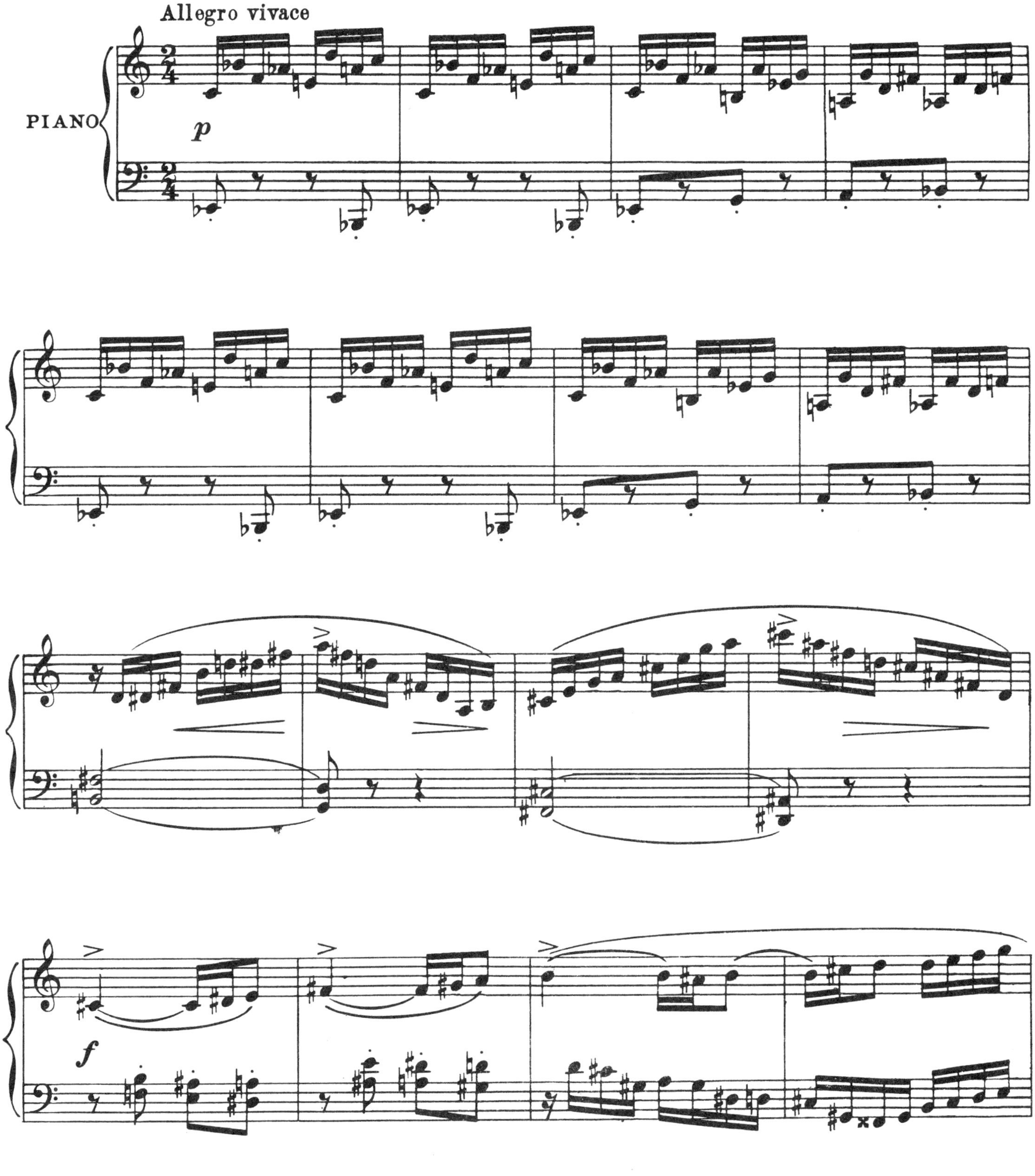

CH02336

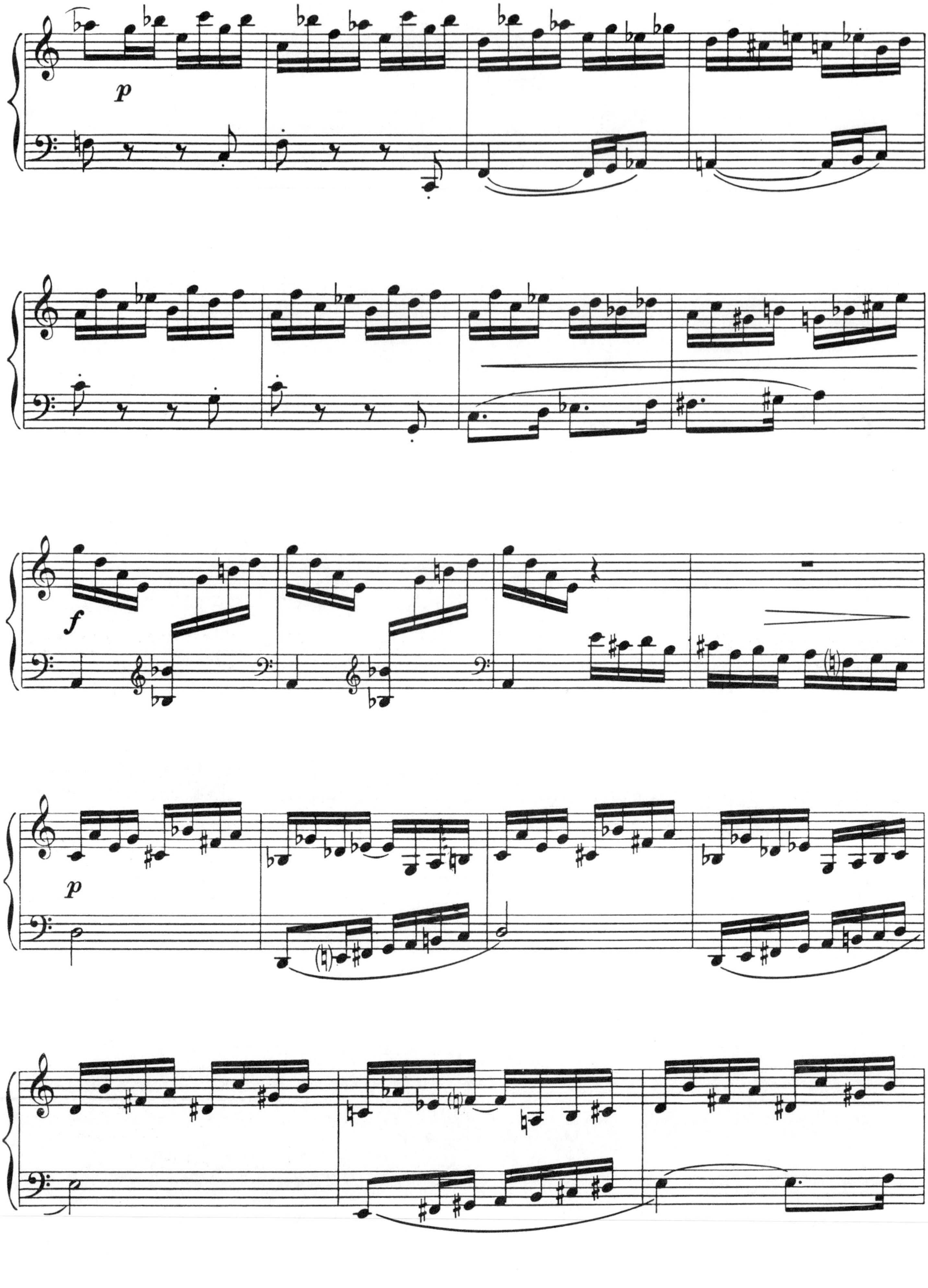
p
f
p

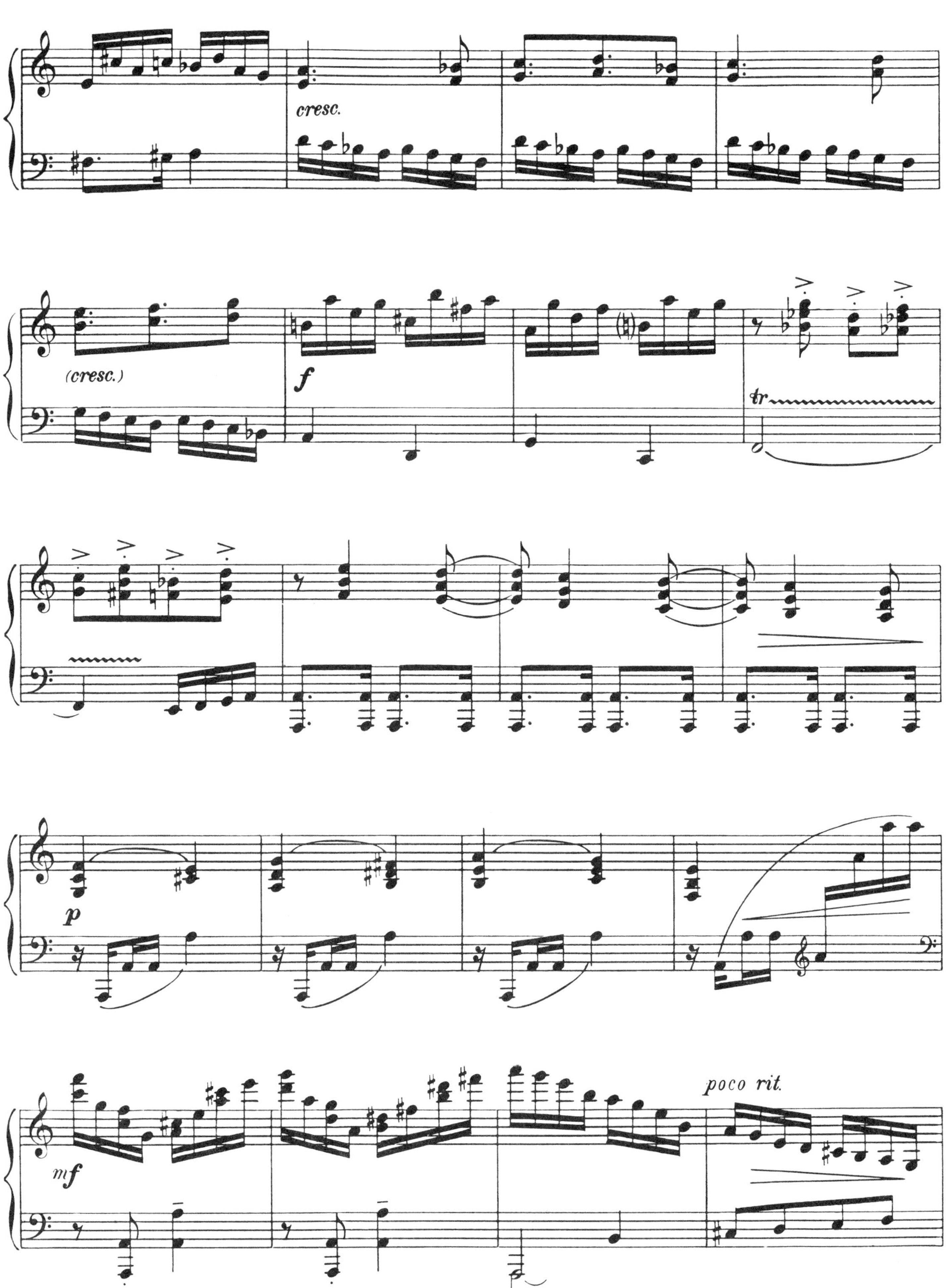
cresc.
(cresc.)
f
tr
p
mf
poco rit.

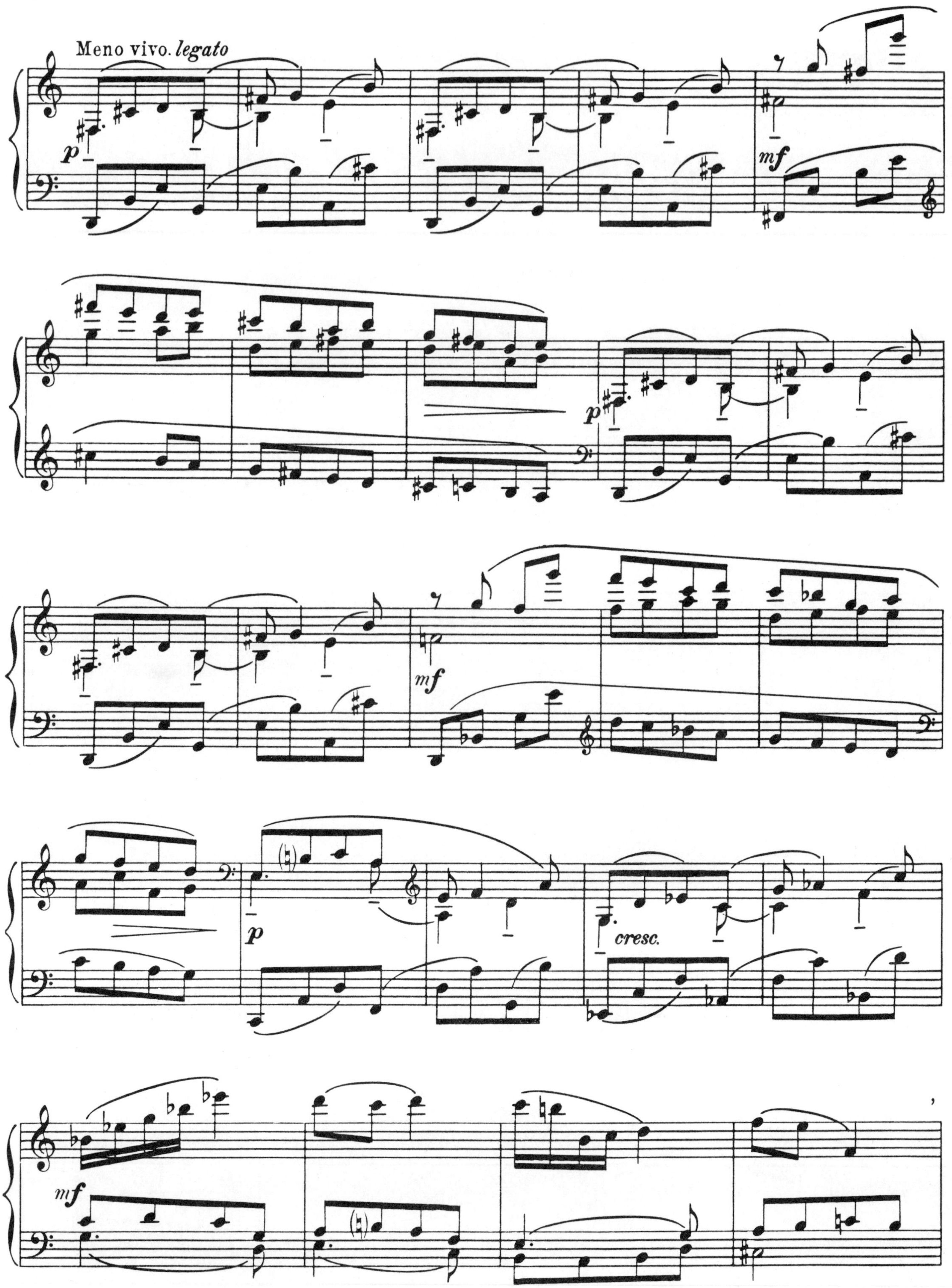
Meno vivo. legato
p
mf
p
mf
p
cresc.
mf

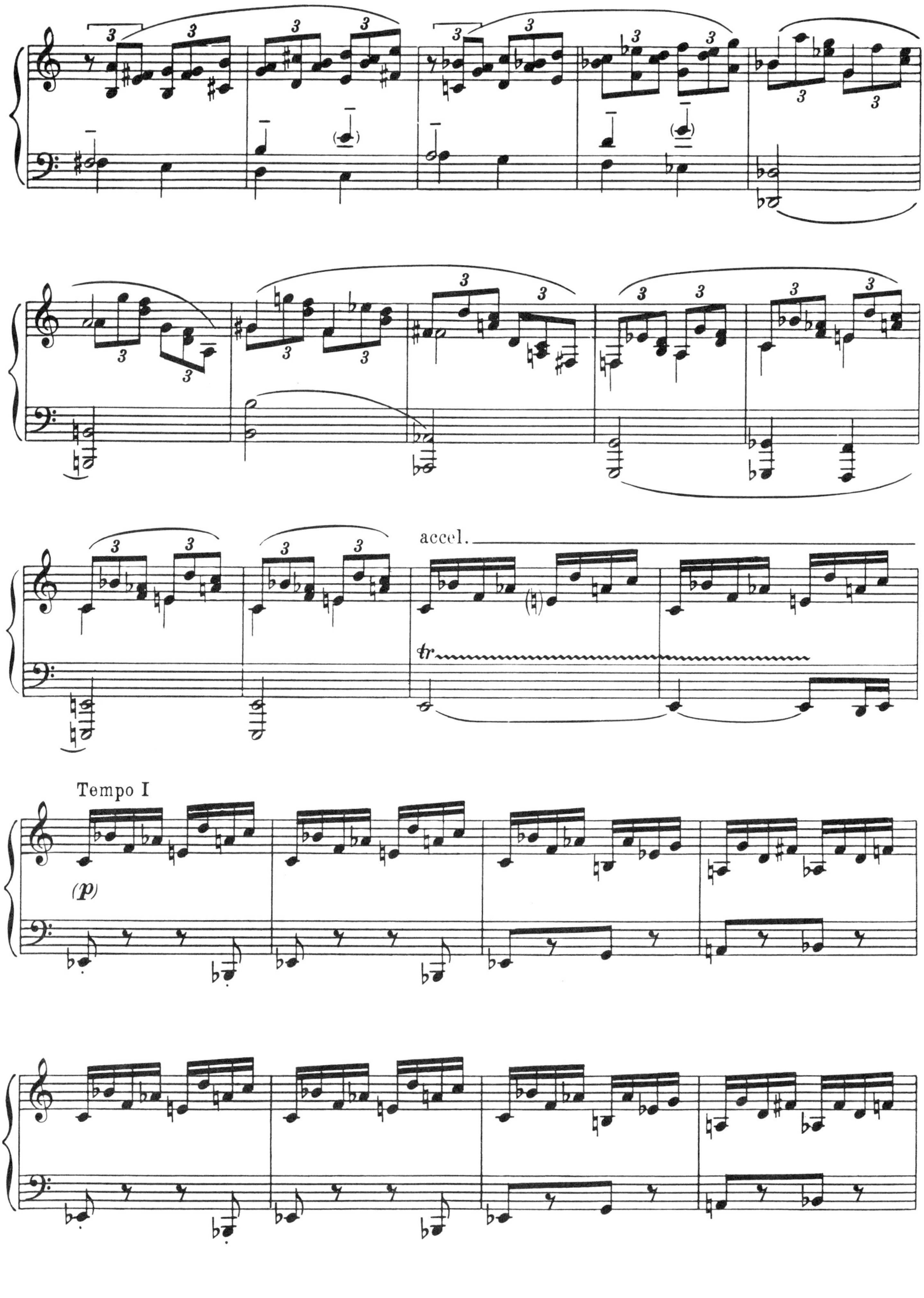
accel.
tr
Tempo I
(p)

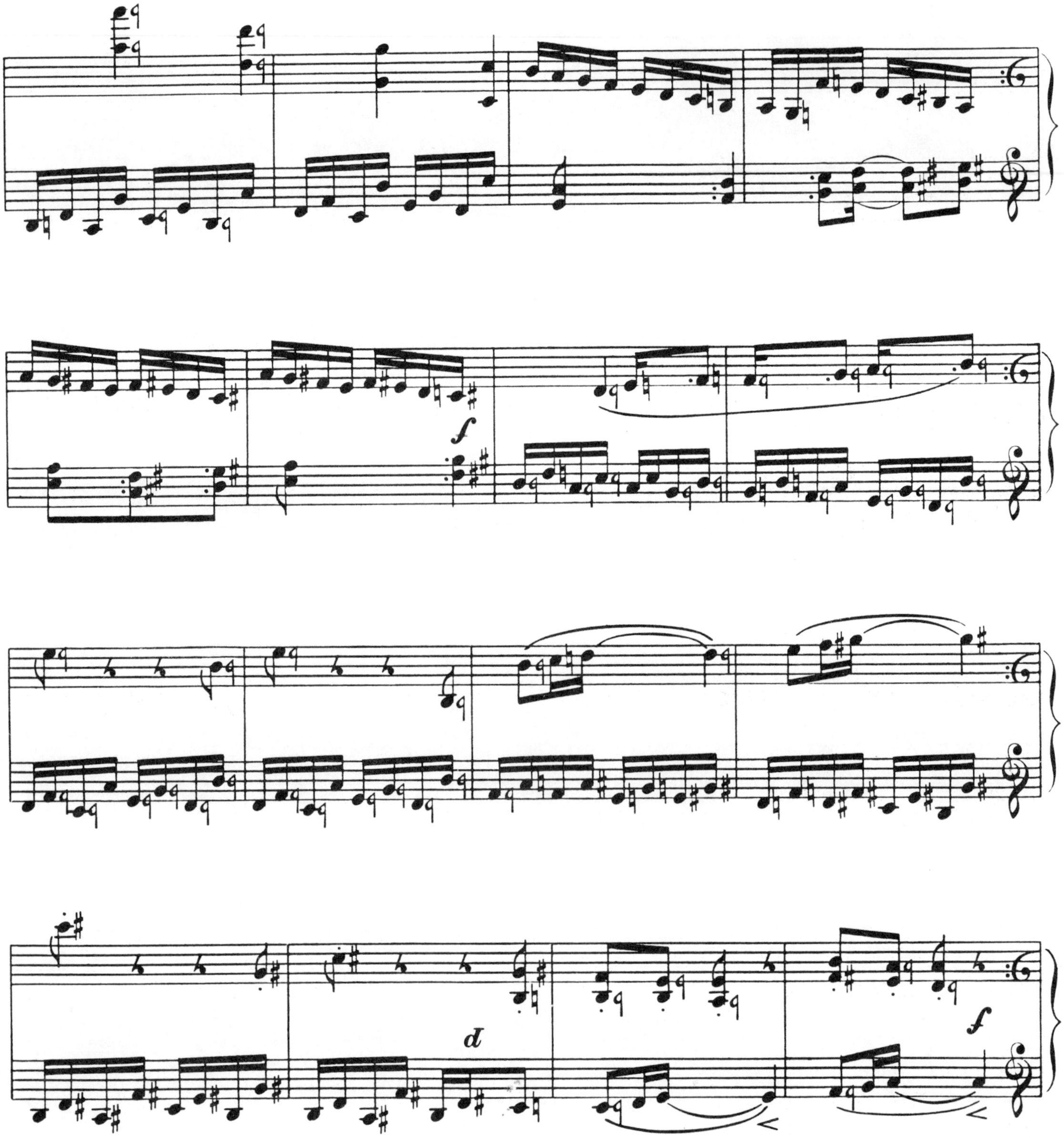
f
d
f

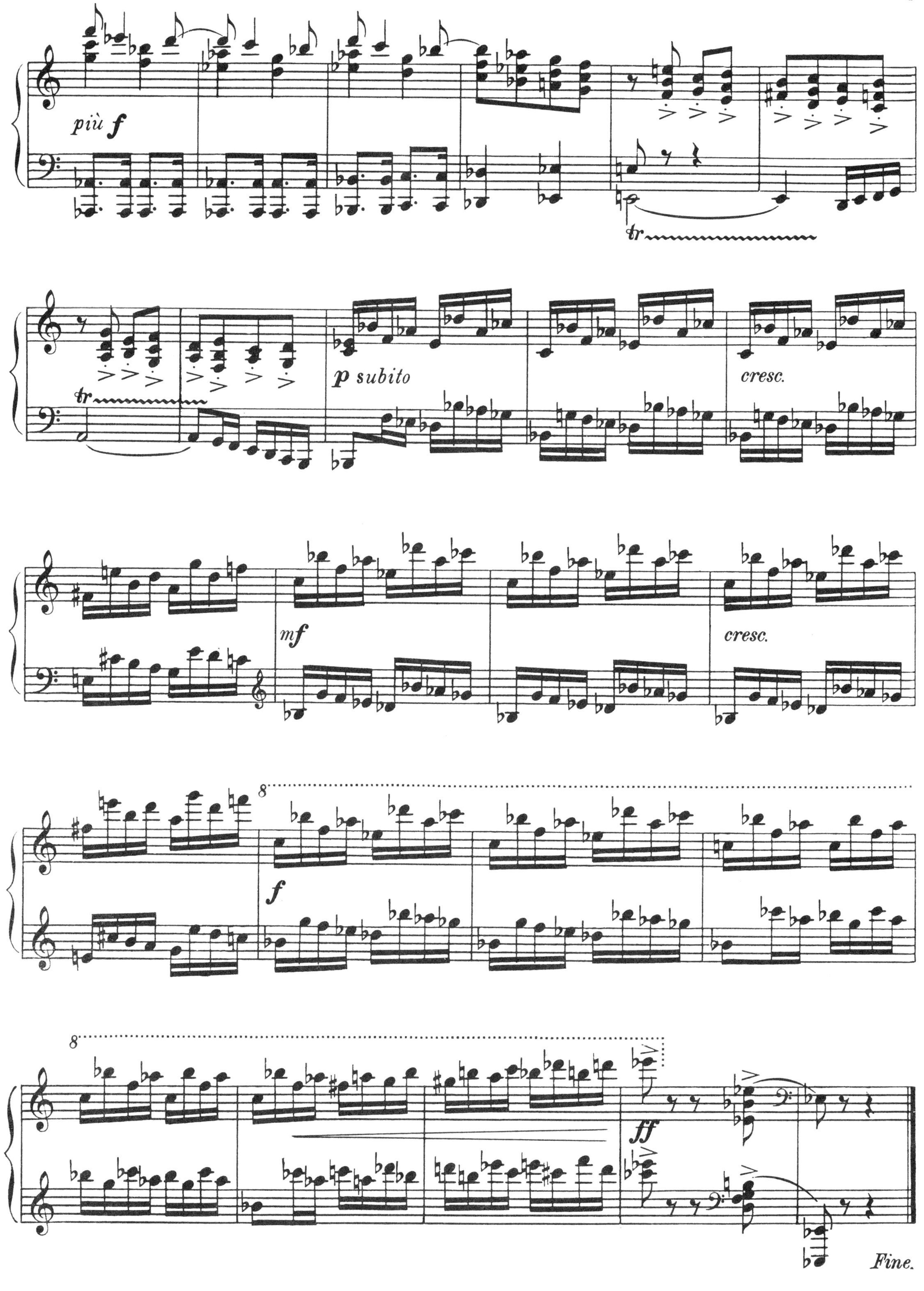
più f
tr
tr
p subito
cresc.
mf
cresc.
8
f
8
ff
Fine.